100 trucs sur Minecraft que vous ne savez peut-être pas

Stéphane Pilet

100 trucs sur **Minecraft** que vous ne savez peut-être pas

"Minecraft" est une marque déposée par Notch Development AB

Textes écrits par Stéphane Pilet (aka Stef Leflou)

Corrections et relectures : Frédéric Lorreyte

Mise en page : Stéphane Pilet

404 EDITIONS

404 Éditions, un département d'Édi8

12, avenue d'Italie 75013 PARIS – France

ISBN : 979-1-0324-0013-5

Dépôt légal : mars 2016

Imprimé en Italie

Graphisme : Stéphane Pilet

Loi nº 49-956 du 16 juillet 1949 sur les publications destinées à la jeunesse, modifiée par la loi nº 2011-525 du 17 mai 2011.

Introduction

L'univers de Minecraft est plein de surprises. Utiles ou insolites, voici une compilation de 100 trucs (120 exactement !) que vous ne savez peut-être pas et qui pourront vous être utiles en mode survie ou en mode créatif. Toutes ces astuces ont été vérifiées avec la snapshot 15w51b (qui correspond à ce que sera la version 1.9). Ces astuces ne devraient pas changer avec les prochaines mises à jour. Merci à la communauté de Minecraft d'avoir partagé ces trucs !

1 Enlever la teinture

Si vous souhaitez enlever une teinture appliquée à l'une de vos pièces d'équipement, trempez ladite pièce dans un chaudron rempli d'eau (faites un clic droit avec la pièce d'équipement dans votre main sur le chaudron). L'opération consomme 1/3 de l'eau contenue dans le chaudron.

2 Recyclage

Avec l'enchantement toucher de soie appliqué sur votre pioche, vous pourrez casser une vitre et récupérer le bloc. Cela fonctionne également avec les blocs de verre. Cet enchantement est l'unique moyen de casser du verre sans en perdre les matériaux.

3 Un arbre géant

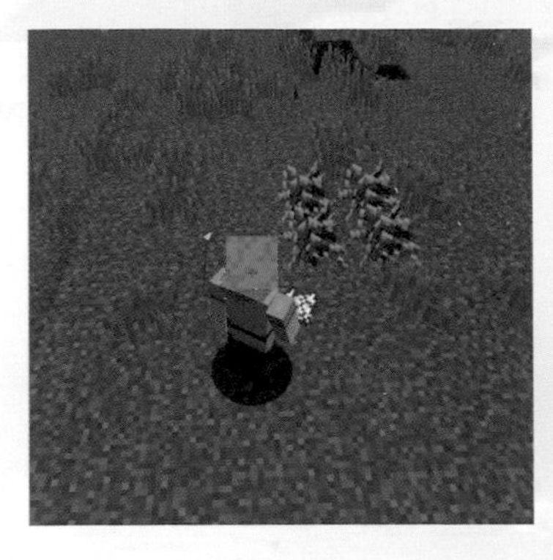

Placez 4 pousses d'arbre en carré et utilisez de la poudre d'os sur l'une d'elles pour accélérer la croissance. L'arbre qui va pousser sera géant et son tronc de 4 blocs de large. Si l'arbre est planté dans son biome naturel, il sera d'autant plus impressionnant. Certains biomes comme les collines extrêmes+ permettent de faire pousser des arbres vraiment géants. Notez que certaines pousses ne prendront pas dans certains biomes (le sapin ne poussera pas dans les plaines).

4 Sauter une barrière

Il est impossible de sauter par-dessus une barrière. Néanmoins, si vous placez un bloc derrière avec une échelle ou une liane, vous pourrez tout de même passer au-dessus. Vous pouvez aussi placer un tapis sur une barrière et sauter dessus pour l'enjamber.

5 Détruire des objets

Pour détruire un objet, vous pouvez le jeter sur un cactus. Si vous perdez votre inventaire près d'un cactus, il y a de fortes chances que plusieurs de vos objets disparaissent. Si vous jouez sur un serveur PvP, acculer un joueur près d'un cactus peut être un bon moyen pour le mettre en grande difficulté.

6 Désherber

En versant un seau d'eau au sol, vous détruirez toutes les hautes herbes ainsi que les fleurs qui rentrent en contact avec le liquide. Un moyen plus rapide que de désherber à la main ! Également une façon rapide de récupérer un grand nombre de fleurs en même temps.

7 Casque citrouille

Lorsque vous portez une citrouille sur la tête, vous pouvez vous approcher des Endermen sans qu'ils se téléportent loin de vous. Vous pourrez ainsi vous en débarrasser plus facilement et récupérer des perles du néant. Assurez-vous d'être bien équipé avant d'engager le combat tout de même !

8 Water pouf !

Si un creeper explose dans l'eau, il n'y aura aucun dégât d'environnement (cela s'applique aussi à la TNT). En survie, vous pouvez entourer votre abri d'eau afin d'éviter des dégâts en cas d'attaque. Vous-même, vous subirez moins de dégâts dus à l'explosion. Attention cependant à ne pas être collé au creeper ou à la TNT au moment de l'explosion !

9 Sous l'eau

Poser une torche sur un mur en face de vous sous l'eau remonte votre souffle au maximum. Il faut être au même niveau que la torche quand vous la posez, cela crée un bloc d'air autour de la torche. La torche va ensuite se décrocher quasi instantanément du mur et vous la récupérerez immédiatement. Évidemment, cela reste bien moins efficace que les potions de respiration.

10 Empoisonné

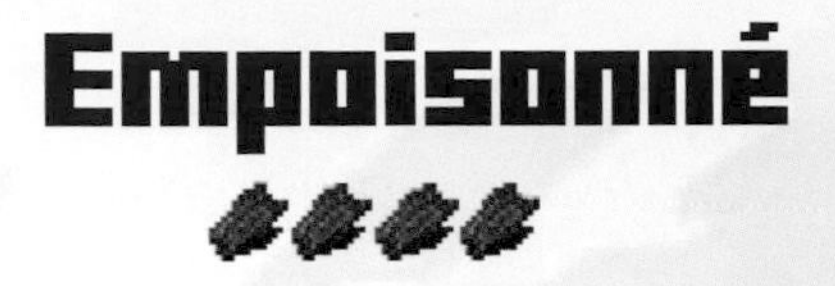

Lorsque vous êtes empoisonné (par une sorcière ou de la nourriture), utilisez un seau de lait pour vous guérir. Boire du lait annule de manière générale tous les effets des potions, négatifs ou positifs. Lors de vos balades en forêt, n'oubliez pas votre seau de lait, les mauvaises rencontres arrivent plus souvent qu'on ne le croit.

11 Apnée

Vous avez vu comment reprendre votre respiration sous l'eau à l'aide d'une torche dans l'astuce nº 9. Vous pouvez également le faire en utilisant une porte ou une canne à sucre plantée sous l'eau.

12

Amour

Vous pouvez activer le mode amour chez deux loups sauvages en utilisant de la chair putréfiée afin qu'ils se reproduisent. Il est possible que vous subissiez les effets du poison de la chair putréfiée, mais c'est assez rare. S'il s'agit d'un loup apprivoisé, la chair putréfiée le nourrit (des petites particules vertes apparaissent autour de lui). L'orientation de la queue d'un loup apprivoisé indique son niveau de santé (plus l'orientation est basse, moins il a de points de vie).

13 Barricade

Les zombies frappent les portes en bois jusqu'à les détruire. Si vous surélevez la porte à l'aide d'un bloc, les zombies essayeront de frapper la porte, mais sans pouvoir la détruire. Dans un village, vous pouvez par exemple enlever les escaliers devant les portes une fois les villageois rentrés, afin d'éviter que les zombies ne pénètrent dans les demeures.

14 Zombie casqué

Si un zombie apparaît avec un casque sur la tête, il sera protégé des rayons du soleil et ne brûlera pas pendant la journée. Un zombie équipé avec une pièce d'armure peut, de temps en temps, lâcher une pièce d'équipement comme butin (pas forcément la pièce portée).

15 Enclos sans porte

Si vous placez une barrière fabriquée en brique du Nether entre deux barrières en bois, vous pourrez vous introduire dans l'enclos, mais les animaux à l'intérieur, eux, ne pourront pas s'en échapper. Pour fabriquer une barrière du Nether, il faut récupérer de la roche du Nether, la passer au four pour en faire des briques, puis assembler 4 briques pour en faire un bloc (appelé lui aussi brique du Nether) et enfin assembler 6 blocs pour créer la barrière. Une seule barrière du Nether suffit pour cette astuce.

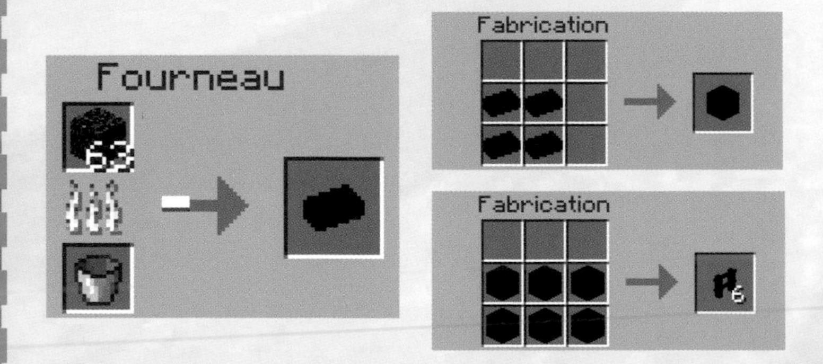

Sable et gravier

Si vous placez une torche, un rail, un panneau (une bonne dizaine d'autres objets peuvent également fonctionner) sous un bloc soumis à la gravité (gravier, sable), il se détruira en tombant et vous pourrez le récupérer dans votre inventaire. Si vous voulez vous débarrasser de hautes colonnes de sable, cela permet un gain de temps et n'use pas vos outils.

17

Activer un bouton

À l'aide d'un arc et de flèches, vous pouvez activer les mécanismes tels que les boutons ou les plaques de pression. Il faut que ces derniers soient en bois (tirer une flèche sur un bouton ou une plaque de pression en pierre ne fonctionnera pas).

18 Boule de neige

Construisez des blocs pour empêcher le golem de neige de se déplacer, puis fabriquez-le. En creusant sous ses pieds, vous ramassez des boules de neige. Le golem recrée de la neige sous lui, vous pouvez donc en récupérer à l'infini (attention, il ne peut survivre dans le désert, la savane ou la jungle !). Pour créer un golem de neige, il faut deux blocs de neige sur lesquels vous poserez une citrouille.

19 Eau de pluie

En plaçant un chaudron à l'extérieur, il se remplira d'eau lorsqu'il pleut. Efficace pour récupérer de l'eau sans avoir à rejoindre une rivière. Il faut parfois du temps avant de remplir un chaudron. N'hésitez pas à en placer plusieurs pour récupérer l'eau de pluie.

20 Courage, fuyons !

Le creeper a peur des chats et des ocelots ! Si vous parvenez à dompter un ocelot et à en faire votre animal de compagnie, il sera très utile pour éloigner les creepers de votre maison. Il vous suffit pour cela de les laisser évoluer autour de votre abri. Un creeper, même effrayé, explosera si vous êtes trop près, donc soyez prudent tout de même !

21 Ainsi fond…

Un golem de neige peut survivre dans le désert, la jungle ou le Nether à condition de lui jeter une potion de résistance au feu. Ceci ne dure que pendant le temps d'action de la potion. La potion de résistance au feu la plus longue dure 6 minutes, ce qui vous laisse le temps d'avoir un allié intéressant : certains monstres du Nether sont très sensibles aux boules de neige.

22 Nouvelles Flèches

Vous pouvez imprégner vos flèches avec l'effet d'une potion persistante. Pour cela, vous devez au préalable jeter la potion persistante au sol, puis vous équiper rapidement de votre arc et lancer vos flèches dans les particules. Selon la durée de l'effet de la potion persistante, vous aurez la possibilité d'enchanter entre 5 et 10 flèches. Lorsque l'effet de la potion persistante disparaît, vous pouvez ramasser les flèches. Lorsque vous tirez sur une cible avec ces dernières, l'effet de la potion sera appliqué sur la cible. Vous pouvez ainsi créer des flèches empoisonnées, des flèches de régénération de vie, etc.

23 Collier de couleur

Vous pouvez changer la couleur d'un collier de loup apprivoisé en utilisant n'importe quelle teinture et en faisant un clic droit sur le collier. Vous pouvez également combiner les teintures et certains objets pour obtenir de nouvelles couleurs.

Recettes de teinture

Teintures	Matériaux	Positionnement
Orange	+	
Cyan	+	
Violet	+	
Gris	+	
Bleu ciel	+	
Rose	+	
Vert clair	+	
Magenta	+	
Gris clair	+	

24 Bébé villageois

En mode créatif, si vous utilisez l'œuf qui a servi à créer le personnage non joueur (PNJ) sur le PNJ, un bébé de ce même personnage apparaît alors. Vous pouvez ainsi créer des villages de manière artificielle et mettre autant de villageois que vous le souhaitez. Le métier du villageois est aléatoirement choisi, mais vous pouvez le deviner à l'aide de la couleur de ses vêtements.

Les villageois en un coup d'œil

Couleur du vêtement	Profession
Marron	Fermier
Blanc	Libraire
Violet	Prêtre
Noir	Forgeron
Blanc	Boucher

Au Fourneau

Vous pouvez utiliser de nombreux objets en bois comme combustibles dans un four (escaliers, planches, établis, coffres), mais également des pousses d'arbre, des outils entièrement en bois, des bannières, etc. Les objets qui permettent de garder le foyer actif le plus longtemps sont le bâton de blaze (120 secondes) et le seau de lave (1 000 secondes). Lorsque vous placez le bâton de blaze ou le seau de lave dans le four, le combustible ne peut être récupéré (le bâton disparaît et la lave aussi, seul le seau vide se récupère). Prévoyez d'avoir beaucoup de matériaux à fondre si vous les utilisez.

26

Amortisseurs

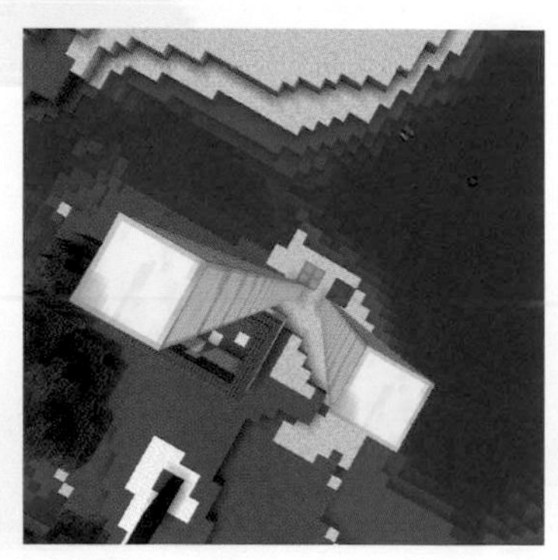

Les dégâts de chutes sont annulés lorsque vous tombez dans l'eau ou sur un bloc de slime. C'est pourquoi certains explorateurs prévoient des cubes d'eau dans les accès de mine en puits. Si vous tombez sur un bloc de slime, en maintenant la touche de saut pendant la réception de la chute, vous ne ferez que de petits rebonds.

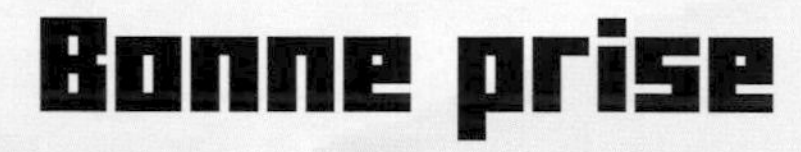

27

Bonne prise

Si vous pêchez par temps de pluie, vous augmentez vos chances de récupérer du poisson bien plus rapidement que par temps sec. Si vous êtes amateur de pêche, le mieux reste tout de même d'enchanter votre canne. La pêche est intéressante si vous prévoyez d'apprivoiser des ocelots (avec du poisson cru) ou de faire certains types de potions.

28

Vertige

Si un creeper se retrouve sur un pilier à 5 blocs de hauteur ou plus, il ne pourra pas en descendre. Ceci arrive rarement en mode survie, mais peut vous donner des idées de décoration en mode créatif ! Attention tout de même, une sorcière ne pourrait en descendre, mais serait quand même capable de vous jeter une fiole de poison volatile !

29

Que d'eau !

Si vous creusez une tranchée de 3 blocs de long et que vous versez un seau d'eau à chaque extrémité, vous pourrez, par la suite, remplir un seau vide sans pour autant vider la tranchée, à condition de récupérer l'eau sur les côtés de la tranchée (et pas au milieu).

30

Canne à sucre

La canne à sucre pousse à la même vitesse sur du sable ou de la terre. Elle atteint en général 3 blocs de hauteur, mais, dans certains cas, elle peut pousser jusqu'à 4 blocs. Pour la récolte, attendez qu'elle ait poussé à son maximum et frappez au niveau du deuxième bloc afin de récolter deux cannes à sucre sans avoir à replanter. La canne à sucre est indispensable pour créer du papier et sert pour la cartographie, les enchantements et la cuisine (on peut créer du sucre avec).

Musique

Le bloc musical donne un son différent selon le type de bloc sur lequel il est posé. Il est possible de l'activer avec un système de bouton et de redstone également.

Les différents sons

Matière	Son
Bois	Guitare basse
Sable/gravier	Batterie
Verre	Clic
Pierre	Batterie basse
Terre/air	Piano

32 Expérience

Lorsque vous minez des blocs de quartz dans le Nether, vous récupérez plus rapidement de l'expérience. Un bon moyen si vous manquez de niveau pour préparer vos enchantements... à condition d'être assez bien équipé pour survivre dans le Nether.

33 Potions volatiles

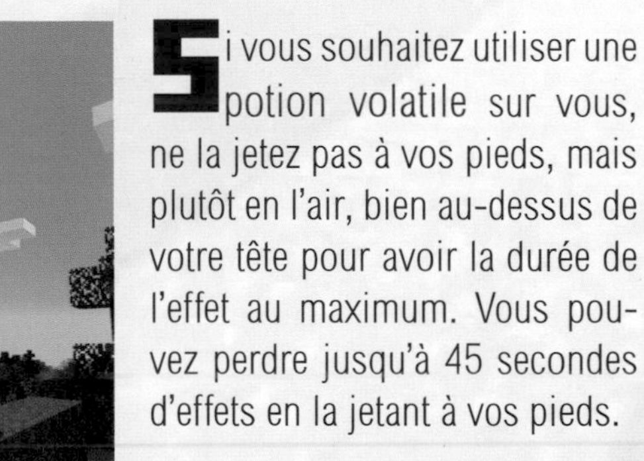

Si vous souhaitez utiliser une potion volatile sur vous, ne la jetez pas à vos pieds, mais plutôt en l'air, bien au-dessus de votre tête pour avoir la durée de l'effet au maximum. Vous pouvez perdre jusqu'à 45 secondes d'effets en la jetant à vos pieds.

34 Mondes uniques

Lorsque vous créez un monde Minecraft, il possède un numéro qui identifie la topographie de tout l'univers. En tapant "/seed" en ligne de commande, vous pourrez permettre à d'autres joueurs d'évoluer dans le même univers de départ que vous (vierge de toute construction, évidemment).

35 Bloc TNT

Un bloc de TNT dont la combustion a commencé peut tomber de 77 blocs de hauteur avant d'exploser. Utile à savoir si vous voulez vous amuser à faire des pièges explosifs qui tombent sur la tête de vos amis !

Eau & lave

Verser de l'eau sur de la lave fabrique de l'obsidienne (très résistante et qui sert à créer les portails vers le Nether). Pour miner l'obsidienne, il vous faut une pioche en diamant (le minage prend 10 secondes). Pour extraire plus rapidement l'obsidienne, il faut appliquer l'enchantement efficacité (possible jusqu'au niveau 5 et permet d'extraire l'obsidienne en 3 secondes).

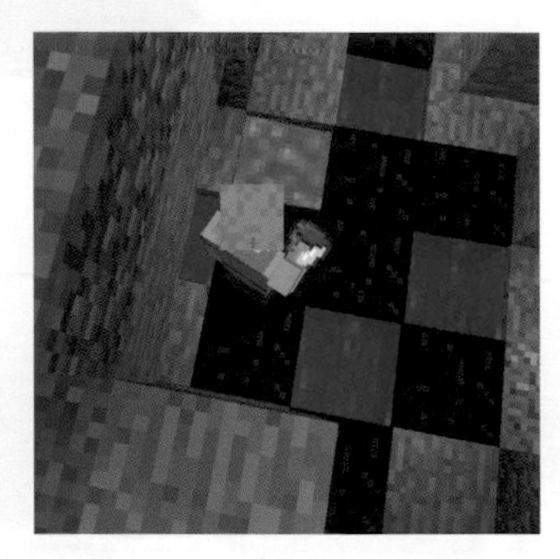

37

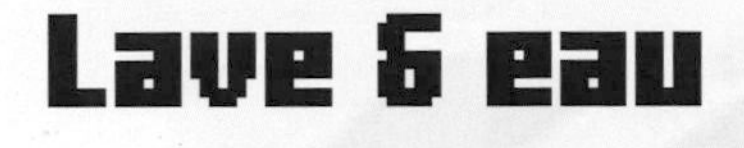

Lave & eau

Lorsque de la lave rencontre de l'eau, cela crée de la pierre. La pierre permet de nombreuses créations, dont l'alambic, qui vous donne la possibilité de concocter vos propres potions. Pour créer l'alambic, il vous faut un bâton de blaze, que l'on récupère sur le monstre blaze (un monstre enflammé que l'on rencontre dans le Nether).

38

22 blocs

Si vous tombez de 22 blocs de hauteur, il vous restera un demi-cœur. Il est parfois difficile de juger de la hauteur dans le feu de l'action, mais dans tous les cas, évitez de tomber de 23 blocs de haut, la chute serait fatale, surtout si vous jouez en mode hardcore !

39

Entonnoir

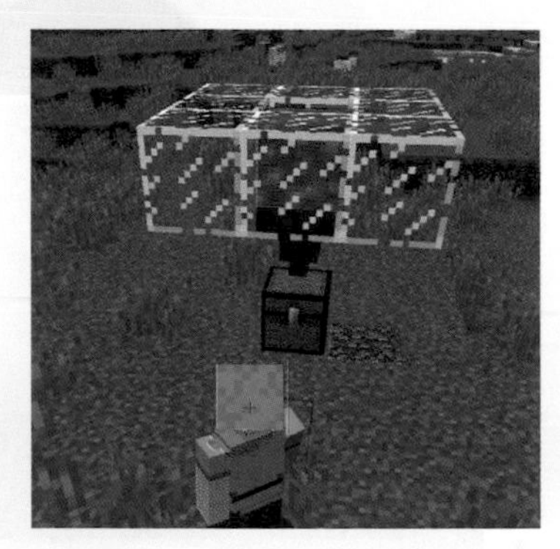

L'entonnoir peut récupérer les objets avant qu'ils ne soient affectés par les blocs adjacents. Ainsi, si un entonnoir est placé sous un bloc de lave et que vous jetez des objets dans la lave, certains passeront dans l'entonnoir (environ 1 sur 2). L'utilité est discutable, mais vous pouvez imaginer un terrain PvP où, en éliminant des joueurs dans une piscine de lave sous laquelle se trouvent des entonnoirs, il serait possible de récupérer une partie de leurs équipements tombés dans la lave.

40

Laisse

Vous pouvez attacher un animal à une barrière à l'aide d'une laisse. Faites un clic droit sur l'animal lorsque vous tenez la laisse, puis un clic droit sur la barrière posée. Sachez qu'en lançant un œuf, une boule de neige, une perle du néant ou une flèche sur la laisse, vous la briserez et libérerez ainsi l'animal. Un clic droit sur la laisse attachée à la barrière suffit également pour le libérer.

41 Entre ennemis

Si un squelette tue un creeper (cela peut arriver si vous êtes poursuivi par les deux), ce dernier lâchera un disque de musique. Les disques peuvent être utilisés dans les juke-box. Dans le cas extrême où cela vous arrive, tentez de mettre le creeper sur votre route pour qu'il prenne les flèches que les squelettes envoient.

42 Boutons colorés

Si vous placez une laine colorée dans un cadre, puis un bouton sur le mur, ce dernier se placera sous la laine, donnant l'impression qu'il est de la couleur de la laine. Sympathique pour vos petites décorations d'intérieur. Vous pouvez également placer un levier ou une torche sur le mur.

43 Boutons cachés

En plaçant un drapeau sur un bouton, vous le cacherez (évidemment, il reste visible sur le côté, mais un joueur qui ne connaît pas les lieux ne le verra pas au premier abord). Le bouton peut être actionné à travers le drapeau.

44 Souple comme chat

Quelle que soit la hauteur de laquelle un chat ou un ocelot tombe, il ne prendra aucun dégât de chute. Car, c'est bien connu, les chats retombent toujours sur leurs pattes ! De même, les poules peuvent tomber de n'importe quelle hauteur, mais elles tombent plus lentement en s'agitant. Quant aux slimes, la chute les explose en petits slimes.

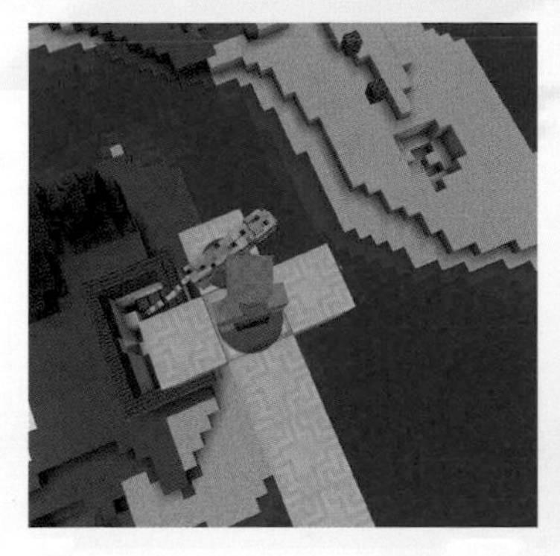

45 Wagonnet incassable

Un wagonnet peut tomber de n'importe quelle hauteur, il ne se cassera jamais et ne prendra aucun dégât de chute. En revanche, si vous êtes dedans, vous allez souffrir, à moins de sortir au dernier moment pour ne subir que les dégâts liés à votre hauteur de chute.

46 Laisse commune

Avec une seule laisse, vous pouvez attacher plusieurs animaux et les forcer à vous suivre. Très pratique si vous prévoyez de commencer un élevage près de votre abri. La laisse se fabrique à l'aide d'une boule de slime et de 4 ficelles.

47 De l'eau du Nether

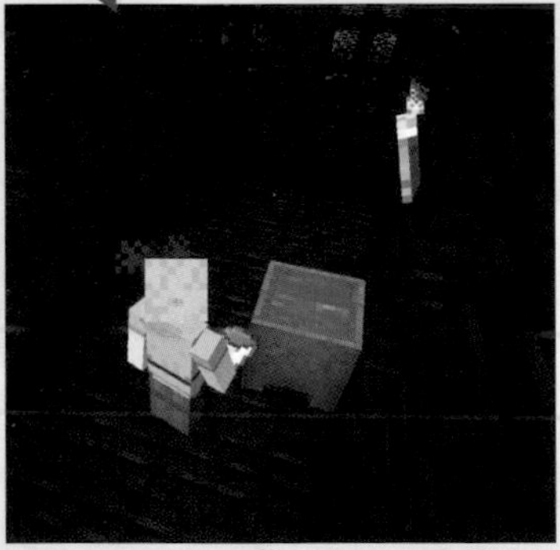

Si vous placez un chaudron dans le Nether et le remplissez d'eau, cette dernière ne s'évaporera pas. Le chaudron est le seul moyen de récupérer de l'eau dans le Nether, ce qui peut être utile si vous prenez des dégâts de feu.

48 Enderman

Vous pouvez essayer de lancer des œufs, des boules de neige ou des flèches sur un Enderman, il les évitera toujours. Le seul moyen de s'en débarrasser, c'est d'aller au corps à corps avec lui (de préférence armé d'une épée).

49 Herobrine

Herobrine, le personnage mystérieux qui apparaîtrait dans l'univers pour se venger des joueurs ou construire des pyramides, n'existe pas. Mais la légende a la vie dure et de nombreux joueurs créent des mods (petits programmes que l'on installe pour modifier Minecraft) pour intégrer ce personnage dans leur monde.

50 Flèches enflammées

Si vous tirez une flèche à travers une colonne de lave, elle en sortira enflammée deux blocs après. Si elle se plante, elle restera enflammée, mais n'endommagera pas une structure en bois. En revanche, un animal tué avec cette flèche fournira de la viande cuite.

51 Villageois sorcier

Si un éclair tombe à 5 blocs d'un villageois, ce dernier se transformera en sorcière ! Les probabilités qu'un éclair tombe et transforme un villageois sont tout de même faibles dans l'ensemble et vous rencontrerez des sorcières bien plus souvent juste en vous promenant dans des marais.

52

Maison champignon

En récupérant plusieurs sorte de champignons, vous pourrez cuisiner de la soupe ou de la crème, mais également les faire grossir et construire de splendides structures pour une maison. Il faut pour cela avoir un espace autour du champignon de 7 × 7 blocs et surtout une luminosité faible pour pouvoir le planter dans le sol. N'hésitez pas à créer une structure en hauteur pour assombrir le terrain et utilisez de la poudre d'os pour faire grossir le champignon. À vous de jouer ensuite pour la déco !

53 Lit explosif

Ne dormez jamais dans un lit posé dans le Nether. Ce dernier exploserait... et vous avec ! En revanche, si votre portail du Nether est éloigné de votre abri, vous pouvez toujours poser un lit à côté du portail avant de rentrer dans le Nether.

54

Incendie

Des incendies peuvent se déclarer spontanément dans l'univers lorsque de la lave apparaît près d'une forêt. La lave produit en effet des braises qui peuvent, en atteignant le feuillage des arbres, provoquer un début de feu.

55

Indestructible

L'obsidienne, la bedrock et le bloc de commande ne peuvent être détruits par une explosion, quelle que soit sa puissance. Le bloc de commande est un bloc que l'on décide ou non d'activer avant la création d'un monde et qui permet de programmer et de modifier beaucoup de choses dans Minecraft.

56

Ficelle

Si vous placez de la ficelle au-dessus de la canne à sucre ou d'un cactus, cela empêchera ces derniers de pousser naturellement. La ficelle se pose de manière similaire à la poudre de redstone. Elle permet également d'activer des mécanismes à l'aide de crochets (pour activer des pièges par exemple).

57

Vision spéciale

En plaçant un bloc de verre sur de la lave, vous verrez deux blocs dessous. Ainsi, vous pourriez repérer des veines de minerais situées sous de la lave. D'une manière générale, évitez en mode survie de vous approcher trop près.

58 Méchant wither

Le wither est une créature qui attaque toutes les autres créatures, y compris l'Enderdragon. Il peut donc devenir un allié temporaire. Le wither n'est pas une créature simple à invoquer. Il faut, pour cela, récupérer 3 crânes de withers-squelettes et, par conséquent, les vaincre dans le Nether. Il faut au préalable avoir trouvé la forteresse dans le Nether, seul endroit où ils apparaissent. Ensuite, il faut utiliser 4 blocs de sable des âmes et poser les crânes sur le dessus en dernier (comme pour les golems).

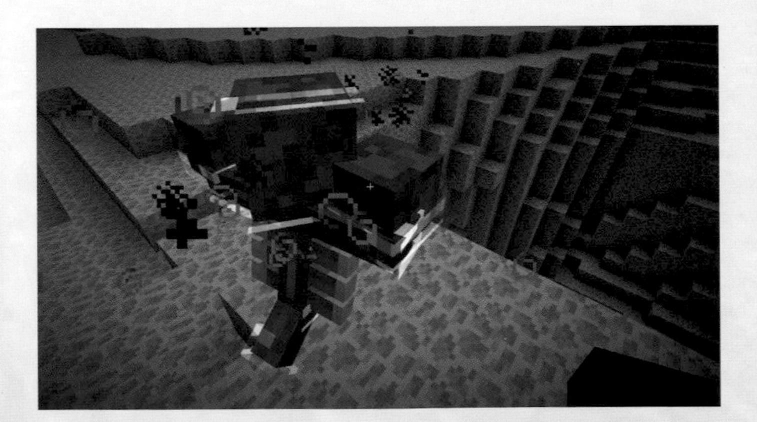

59 Guérir un villageois

Si un villageois s'est transformé en zombie, vous pouvez lui lancer une potion volatile de faiblesse et une pomme dorée pour le guérir. Il redeviendra alors villageois au bout d'un certain temps. Des particules l'entourent, indiquant que le remède est en cours. Tentez de l'isoler dans un endroit sombre si le jour commence à pointer.

60 La maille

Les pièces d'armure en mailles peuvent être réparées en utilisant des lingots de fer. Ces pièces d'équipement ne peuvent pas être créées, vous pouvez les trouver dans des coffres ou sur des monstres de type zombie ou squelette qui peuvent parfois en porter.

61 Tir à l'arc

Si vous lancez une flèche sur un cochon en bandant l'arc à son maximum, vous le tuerez instantanément. Et si la flèche est enflammée, vous aurez votre côte de porc bien cuite déjà prête !

62 Sorcière qui boit

Lorsque vous tuez une sorcière alors qu'elle est en train de boire une potion, elle lâchera sa potion ou une fiole vide à sa mort et vous pourrez la récupérer. Vous verrez la sorcière tenir la potion dans ses mains, mais attention, en général, elle est prête à l'utiliser, il faut donc agir vite !

Créer un village

En construisant des maisons avec des portes en bois (quelle que soit leur taille), vous pourrez faire apparaître un ou plusieurs villageois. Vous pouvez ainsi artificiellement créer des villages si vous n'en avez pas encore trouvé en mode survie.

64

Distance de tir

Si vous placez un bloc de slime devant un distributeur, il éjectera le contenu bien plus loin que la normale. Si vous placez des flèches dans le distributeur, vous augmentez alors votre puissance de tir. Ce système nécessite de la redstone, 4 répéteurs, un piston collant et un bloc de slime. Les répéteurs vont retarder légèrement le déclenchement du piston collant, afin que la flèche ne se plante pas dans le bloc, mais rebondisse dessus lorsqu'elle est éjectée. Le bouton qui déclenche le lancement de la flèche va alimenter la redstone également et lever le piston collant. En ajoutant une colonne de lave, vous pourrez plus facilement voir la trajectoire de la flèche qui peut être éjectée une trentaine de blocs plus loin.

65

Pierre mousse

En combinant une pierre avec de la liane, vous pourrez fabriquer les fameuses pierres recouvertes de mousse qui symbolisent souvent la présence de donjons dans Minecraft. On trouve également ces pierres dans les biomes jungle ou dans les temples.

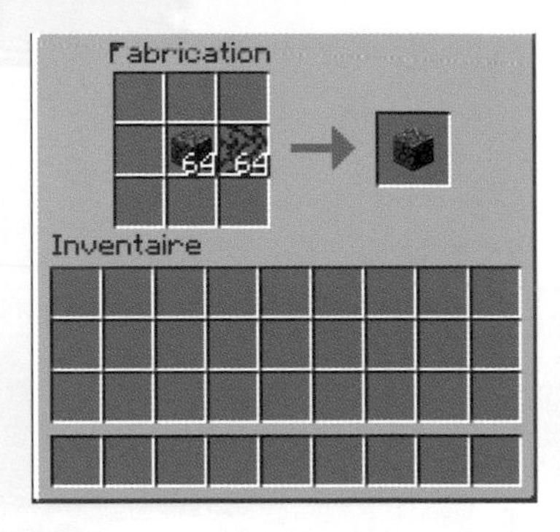

66 Essorer une éponge

Placez l'éponge mouillée dans un four. Au bout de quelques secondes, l'eau contenue dans l'éponge va disparaître et vous pourrez récupérer une éponge prête à être utilisée à nouveau. L'éponge peut se trouver dans les temples engloutis et est lâchée comme butin par les anciens gardiens. Elle peut absorber l'équivalent de 5 × 5 × 5 blocs d'eau.

67 La tête à l'envers

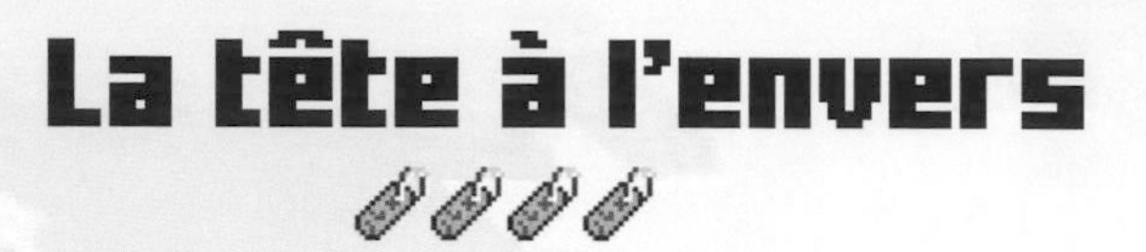

En mode créatif, si vous renommez un œuf de créature (à l'aide d'une enclume) en utilisant le mot “Dinnerbone” ou “Grumm”, la créature apparaîtra la tête à l'envers lorsque vous utiliserez l'œuf. Vous pouvez également utiliser cette astuce pour renommer une étiquette. En appliquant cette dernière sur une entité (vache, mouton, loup, poule), l'animal se renversera. Appliquez une autre étiquette avec un autre nom, et elle se remettra sur ses pieds.

68 Mouton multicolore

En mode créatif, si vous renommez un œuf de mouton “Jeb_”, il apparaîtra avec une laine qui change de couleur régulièrement. Pour autant, la laine qu'il lâchera au moment de la tonte sera d'une couleur aléatoire (souvent blanche).

69 Plus de laine

En frappant à la main un mouton 7 fois, puis en appliquant les cisailles sur ce dernier, vous récupérerez deux blocs de laine au lieu d'un. Une astuce pratique en début de partie si vous voulez construire un lit rapidement et que les moutons se font rares sur votre lieu de spawn.

70 Squelette bigleux

Un squelette qui se trouve sur le même bloc que vous ne vous touchera jamais avec ses flèches. Ainsi, si vous êtes poursuivi dans une mine, creusez deux blocs de votre hauteur, placez-vous à l'intérieur et attendez-le. Vous pouvez par exemple vous nourrir et attendre que votre vie remonte avant de reprendre le combat.

71 Capteur de lumière

Vous pouvez utiliser un capteur de lumière pour activer de la redstone selon le degré de luminosité et ainsi, par exemple, activer un mécanisme selon qu'il fait nuit ou jour. Un exemple simple peut concerner l'ouverture et la fermeture de portes.

72

Coffre indétectable

Vous pouvez enterrer un coffre, le recouvrir de terre et utiliser l'outil houe pour retourner la terre sur les blocs. Vous verrez alors un interstice sur lequel vous pourrez cliquer afin d'ouvrir le coffre sans enlever le bloc de terre. Une méthode ingénieuse pour cacher un coffre aux yeux des autres joueurs sans utiliser de mécanismes.

73 Squelettes & chiens

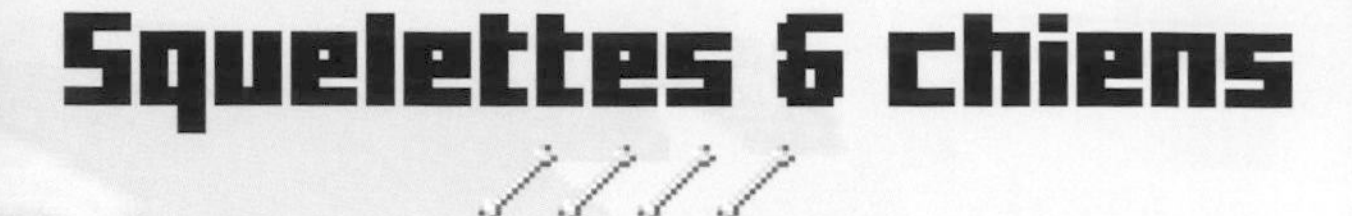

Si vous êtes accompagné d'un ou de plusieurs chiens, les squelettes en auront peur, puisque les chiens peuvent les attaquer. N'hésitez pas à vous faire accompagner par vos fidèles compagnons dans les mines.

74 On empile !

Vous pouvez placer un bloc par-dessus un objet qui normalement ouvre une interface utilisateur (comme le four ou l'établi). Pour cela, maintenez la touche Shift, puis placez le bloc comme vous le feriez normalement.

75 J'aime les pastèques

Le meilleur outil pour récupérer le plus rapidement des tranches de pastèque est de casser un bloc de pastèque avec la hache. Avec une hache ou une épée, vous récupérerez 7 tranches de pastèque, mais moins si vous utilisez un autre outil.

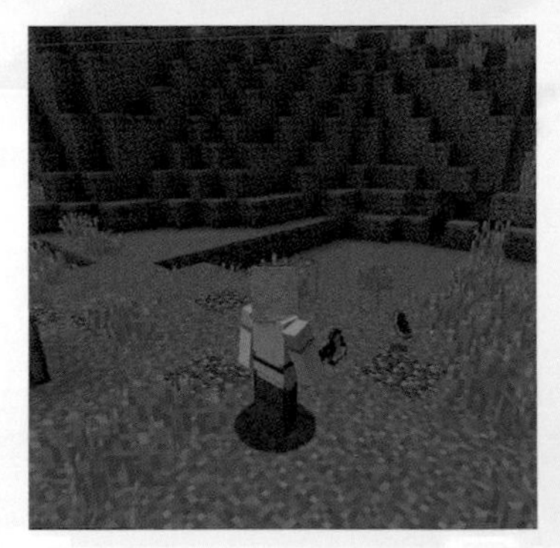

76 J'aime les citrouilles

La hache est l'outil le plus rapide pour récupérer des citrouilles. La citrouille peut être utilisée sur votre tête, mais peut également servir de lampe en utilisant une torche. Sur l'établi, placez la torche sous la citrouille.

77 Téléportation

Lorsque vous lancez une perle du néant, vous êtes téléporté à l'endroit où elle atterrit. Il y a 5 % de chances qu'une mite du néant apparaisse après un lancer de perle du néant. Lors de la téléportation, vous perdez quelques points de vie. N'utilisez pas la perle si vos points de vie sont faibles, ou vous le regretterez...

78 La mite et le sable

Lorsqu'une mite du néant (Endermite) se trouve sur du sable du néant, elle suffoque et meurt au bout de quelques secondes, à moins qu'elle ne parvienne à quitter le bloc. Le sable du néant ralentit votre marche et amortit l'arrivée d'un bateau (pas de dégât, même à grande vitesse).

79 Ancien gardien

Ce poisson redoutable peut vous attaquer à distance (comme le gardien) avec un rayon d'une portée de 15 blocs. De plus, il est capable de vous lancer un sort de fatigue (d'une durée de 5 minutes) qui rend le minage extrêmement long. Vaincu, ce monstre lâche notamment une éponge. Il vous perd de son champ de vision si vous placez des blocs entre vous et lui.

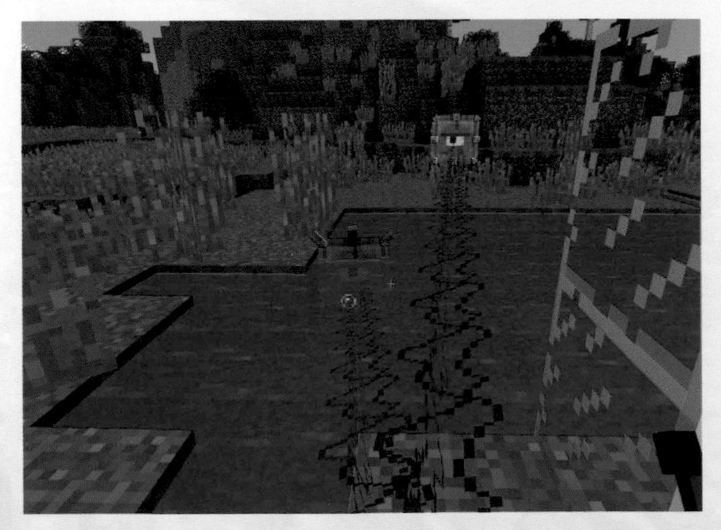

80

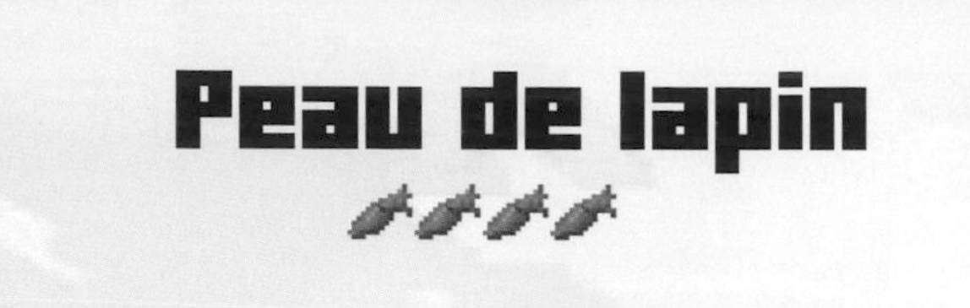

Peau de lapin

En assemblant 4 peaux de lapin, vous pourrez créer une peau de cuir. Les pattes de lapin, quant à elles, servent à créer des potions pour améliorer vos sauts. Attention, car sauter plus haut vous expose à éventuellement... tomber de plus haut !

81

Lapin tueur

Assez rare, ce lapin vous détecte à 15 blocs de distance et peut vous enlever jusqu'à 6 cœurs d'un seul coup. Il est agressif envers les loups et les chiens et possède des yeux rouges !

82

Enchanté

Le chiffre situé à gauche de l'enchantement choisi indique le nombre de lapis-lazuli ainsi que le nombre de niveaux d'expérience nécessaires pour enchanter l'objet, qui seront consommés lors de l'enchantement. Le chiffre à droite indique le niveau minimum d'expérience requis pour pouvoir enchanter l'objet.

83

Balise

La lumière d'une balise peut être changée en plaçant des blocs de verre teinté. Vous pouvez ainsi repérer plus facilement certains endroits en décidant par exemple d'une couleur pour une balise au nord et d'une autre au sud. Placer plusieurs blocs de verre teinté va mélanger la couleur déjà teintée avec la couleur du deuxième bloc de verre placé.

84

Temple englouti

Dans la salle centrale du temple englouti, il est possible de récupérer plusieurs blocs d'or placés derrière des blocs de prismarin sombre.

85 Accélération

Si vous placez des trappes sur des blocs de glace, vous allez accélérer grandement votre vitesse de marche et de course. Ajoutez une série de blocs juste au-dessus de votre tête, et vous irez encore plus vite en sautant en même temps. Pour placer la trappe, disposez des blocs sur le côté des blocs de glace.

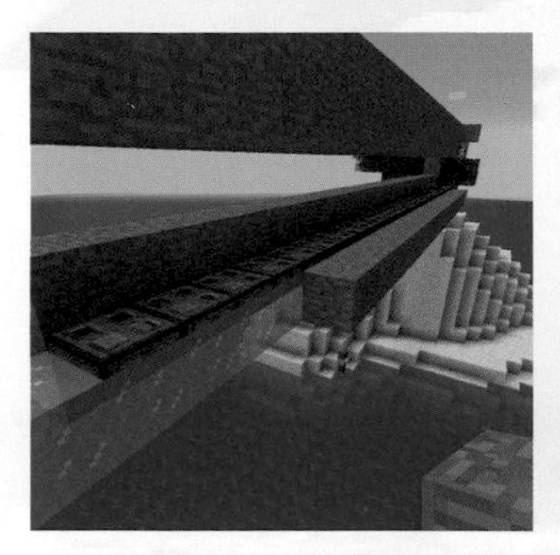

86 Spawn

Vous pouvez modifier la zone de réapparition des joueurs dans votre univers Minecraft en utilisant la commande /gamerule spawnRadius 'valeur'. La valeur correspond à la distance du point de spawn, en nombre de blocs, à laquelle vous réapparaissez après votre mort.

87 Figer le temps

En entrant la commande '/gamerule doDaylight-Cycle false', vous stopperez le cours du temps en mode créatif. Si vous souhaitez ainsi créer une carte qui ne se joue ensuite que la nuit, libre à vous !

88 Mode spectateur

En tapant "/gamemode spectactor" – nom de votre personnage – ou "/gamemode sp", vous pourrez évoluer dans l'univers en traversant les murs. Vous pourrez ainsi voir le dessous de votre monde plus facilement et repérer les mines abandonnées et autres donjons.

89

Enchantement

Lorsque vous placez un objet dans la table d'enchantement, cela définit 3 sortes d'enchantements possibles. Si aucun ne vous plaît, enchantez un autre objet, puis replacez le premier sur la table, et vous aurez 3 nouvelles propositions d'enchantements.

90

Tableaux

Lorsque vous avez créé un tableau, il vous suffit d'un clic droit sur un mur pour le poser. Si la peinture ne vous plaît pas, retirez-le (clic gauche dessus), puis reposez-le à nouveau pour obtenir un nouveau tableau.

91 Balise économique

Vous pouvez créer une balise en utilisant moins de blocs de diamant que nécessaire, simplement en utilisant des blocs d'un autre matériau pour en construire l'intérieur. Un bloc de diamant se construit avec 9 diamants. L'économie ainsi réalisée est assez importante pour des pyramides, dont la base est constituée de 9 × 9 blocs de diamant. Les balises permettent d'acheter des améliorations dont les effets se ressentent jusqu'à 50 blocs de distance pour la pyramide la plus importante.

92 Camouflage

Vous pouvez utiliser certaines plantes pour vous cacher des creepers ou des squelettes. Placez-vous au centre d'une fougère haute de 2 blocs, et vous ne serez pas vu par vos ennemis. Pratique si vous devez attendre un peu que vos points de vie remontent.

93 Chute en bateau

Si vous tombez de très, très haut en bateau, vous ne subirez aucun dégât dû à la chute... à condition de tomber dans l'eau !

94 Araignée invisible

Si vous jetez une potion d'invisibilité sur une araignée, elle deviendra invisible... mais pas ses yeux rouges, qui vous permettront tout de même de la repérer !

95 Chat alors !

Si un chat est posé sur un coffre ou sur un lit, vous ne pourrez pas ouvrir le coffre ni vous allonger sur le lit. Le seul moyen est d'attendre qu'il parte... ou de lui donner une pichenette pour le faire fuir. Apprivoiser un ocelot pour le transformer en chat n'est pas simple, il vous faut de la patience et du poisson cru. N'approchez l'ocelot qu'en étant accroupi.

Ça plane pour vous

L'élytre est un objet qui permet à votre personnage de planer dans l'univers de Minecraft. Cet objet ne peut être créé, mais vous pouvez le récupérer dans la cité de l'Ender. Vous le trouverez sur un tableau, situé dans une structure en forme de bateau dans la cité de l'Ender. L'élytre est gardé par un shulker, un monstre qui vous attaque à l'aide de missiles qui vous font léviter pendant quelques secondes. Pour découvrir la cité de l'Ender, vous devez au préalable vaincre l'Enderdragon dans l'Ender et jeter une perle du néant dans le téléporteur qui apparaît lorsque le boss est vaincu. Ces ailes se portent à l'emplacement de l'armure de votre inventaire, ne peuvent être détruites et se réparent à l'aide de cuir. Elles possèdent une durabilité de 431. Lorsque vous planez, elles perdent un point de durabilité par seconde. De même, elles perdent des points de durabilité lorsque vous subissez des dégâts ou que vous atterrissez. Vous pouvez leur appliquer l'enchantement solidité afin d'augmenter la totalité des points de durabilité des ailes.

97 Sécurité

Si vous êtes particulièrement haut, vous pouvez utiliser le bouton Shift pour avancer accroupi. Ainsi, vous pouvez aller au bord de n'importe quel précipice, vous ne tomberez jamais, à moins de sauter en même temps.

98 Graines de star

Les poules sont attirées par les graines de blé et vous pouvez activer le mode amour chez elles en utilisant ces graines. Activer le mode amour, outre le fait que vous allez faire apparaître des poussins, vous donne également de l'expérience.

99

Wither

En jetant des potions de soin volatiles sur un wither, vous le blesserez. Attention ! Si vous invoquez un wither dans votre monde, il attaque tout ce qui bouge en jetant des bombes qui peuvent faire de gros dégâts sur vos installations. Il est recommandé de n'invoquer un wither que dans le Nether.

100

Pancartes

Plusieurs objets permettent de bloquer une avancée de lave ou d'eau. Parmi eux, citons les barrières, les pancartes, les échelles et même (étrangement) les blocs de feuilles. Attention tout de même aux braises qui peuvent voler ! Après expérience, une barrière peut flamber malgré tout, mais pas le bloc de feuilles.

101 Même pas mal !

La toile d'araignée peut vous protéger d'une explosion de TNT ou de creeper. En cas de problème, n'hésitez pas à en poser devant vous juste avant une explosion. La toile d'araignée ralentissant énormément les déplacements, elle peut constituer une barrière de protection efficace. Avec les cisailles qui possèdent l'enchantement toucher de soie, vous pouvez les récupérer directement (sinon vous récupérerez du fil). Avec 9 fils, vous pouvez créer une toile d'araignée.

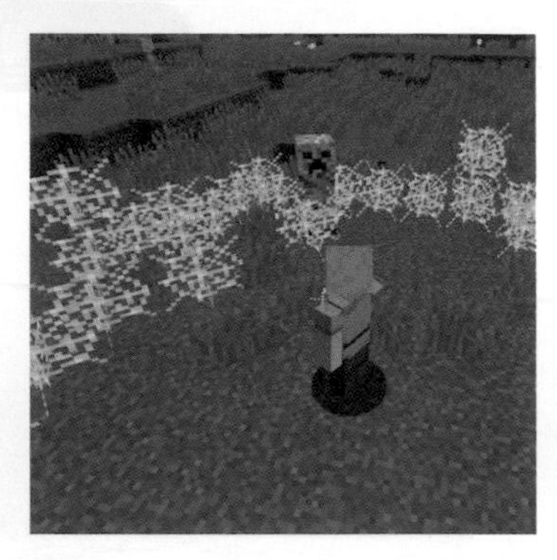

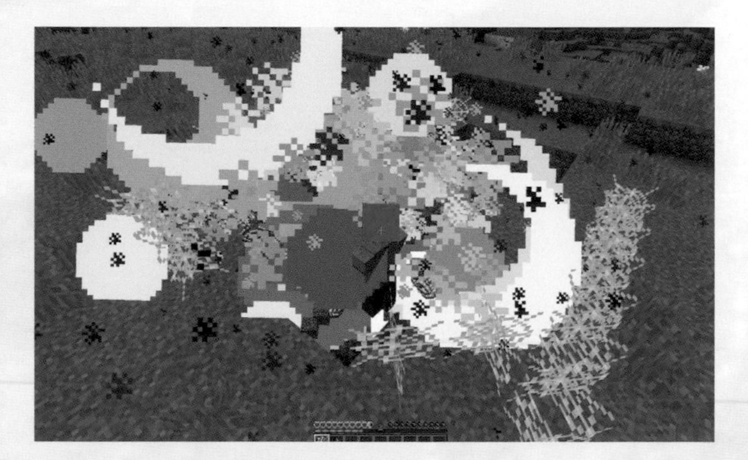

102 Mangez des pommes

Détruire le feuillage des chênes ou des chênes noirs peut faire tomber une pomme rouge. La probabilité est de 0,5 %. N'utilisez pas de cisailles pour couper les feuilles, sinon vous obtiendrez le feuillage dans votre inventaire. Bonne cueillette !

103 Escalier de neige

Vous pouvez utiliser de la neige pour faire un escalier. Vous pouvez empiler jusqu'à 8 blocs de neige pour arriver à une hauteur de 1 bloc. Elle ne fond pas à la lumière du soleil. En revanche, si vous placez de la lumière artificielle et que le niveau de lumière dépasse 12, elle fond...

104 Lampe redstone

Un bouton permet d'activer les lampes redstone situées sur les blocs adjacents. Une petite idée pour les amateurs de décoration. Pour créer une lampe de redstone, il faut une pierre lumineuse et 4 poudres de redstone. La pierre lumineuse se récupère dans le Nether (si votre pioche est enchantée avec toucher de soie), mais peut également être créée en combinant 4 poudres lumineuses (obtenues en minant la pierre lumineuse). Cette poudre peut aussi être récupérée parfois en butin sur les sorcières vaincues.

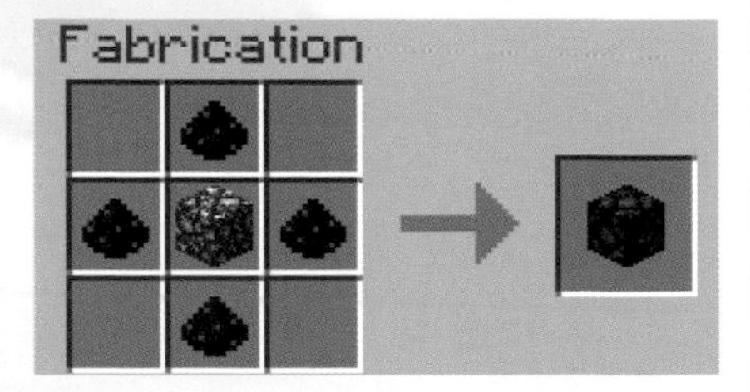

105

Coffre de l'Ender

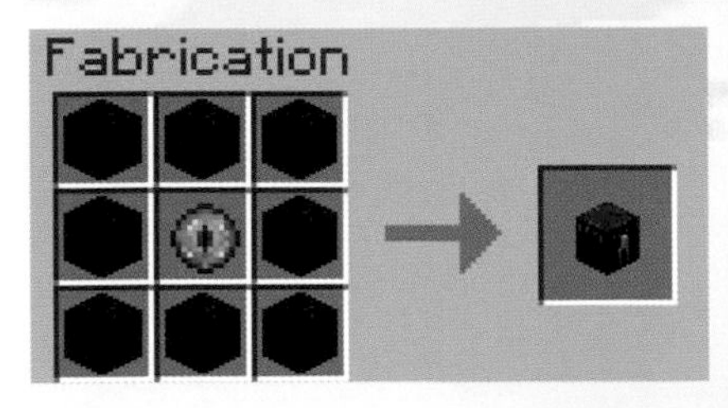

Le coffre de l'Ender permet de stocker des objets comme n'importe quel coffre. Cependant, son contenu est partagé entre les différents coffres que vous pouvez créer, permettant ainsi d'accéder à un inventaire particulier, quelle que soit votre position dans le monde. Vous pouvez même partager le contenu entre un coffre de l'Ender posé dans le monde de Minecraft et celui du Nether. Ces coffres constitués d'obsidienne sont insensibles aux explosions. Il est impossible d'utiliser un entonnoir pour faire tomber des objets dedans.

Chef cuistot

Cuisiner vous donne de l'expérience lorsque vous récupérez la nourriture cuite. Une petite astuce utile lorsque vous avez un grand stock de nourriture crue et que vous êtes en pleine séance d'enchantement, souvent coûteuse en niveau d'expérience.

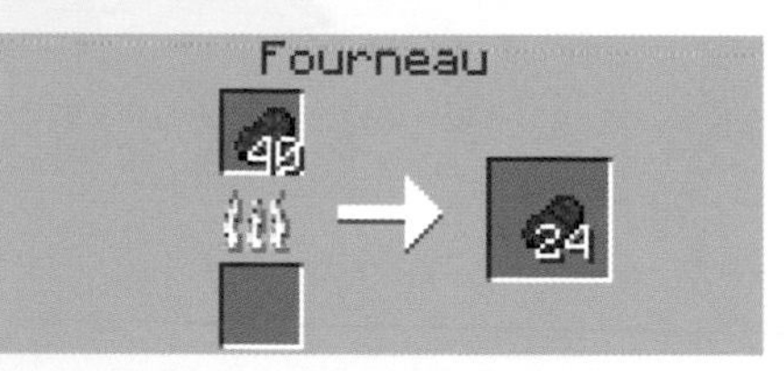

107 Portée redstone

Une torche redstone peut alimenter jusqu'à 15 blocs de redstone. La poudre alimentée devient de plus en plus sombre et les particules au-dessus indiquent que le courant est actif.

108 Poudre d'os

La poudre d'os permet de faire pousser vos plantations plus rapidement (blé, arbres, etc.). Si vous l'utilisez sur de l'herbe, elle fera pousser de l'herbe et des fleurs. Pratique si vous cherchez des fleurs pour vos teintures.

À travers le portail

En utilisant un wagonnet, vous pouvez passer à travers un portail du Nether sans pour autant être téléporté. Si vous envoyez le wagonnet seul, en revanche, il se téléportera vers le Nether.

110 Dur comme fer

Contrairement aux portes en bois, les portes en fer ne peuvent être ouvertes que par un mécanisme (bouton, levier ou plaque de pression posée sur un bloc adjacent). C'est pourquoi il ne faut pas les utiliser dans les villages. Les villageois ne sauraient rentrer se protéger de la pluie ou des attaques de zombies si vous les utilisez.

111 Au ralenti

Les blocs de slime, posés au sol peuvent ralentir vos ennemis comme le ferait un bloc de sable des âmes. Vous pouvez ainsi protéger un village en posant ces blocs à des endroits stratégiques afin de permettre aux villageois de se cacher pendant une attaque.

112 L'aventure

Le mode aventure oblige le joueur à utiliser des outils spécifiques pour détruire certains types de blocs. Ainsi, le bois ne se récupère qu'avec une hache et les minerais qu'avec une pioche. Le mode aventure se veut ainsi plus “réaliste”.

113 Copier un bloc

En mode créatif, si vous utilisez le bouton 3 (par défaut le clic de la molette) sur un bloc, vous le copiez dans votre inventaire. Pratique pour ne pas chercher un bloc dans la liste de l'inventaire lorsque vous modifiez une carte.

114 Porte personnalisée

Il est possible de personnaliser vos portes en posant des cadres dessus. Pour cela, posez tout d'abord deux blocs (de terre par exemple), puis posez vos cadres dessus. Ensuite, détruisez les blocs de terre et posez enfin votre porte. Une petite idée déco sympa !

115 Effet inverse

Lancer une potion de soin sur un squelette ou un zombie aura pour effet de les blesser. De même, lancer une potion de poison ou de dégât aura pour effet de les guérir. Ne vous mélangez pas les pinceaux si vous attaquez à l'aide de potions volatiles !

116

Absorbé

Un bloc de verre absorbe l'explosion d'un bloc de TNT. Si vous vous tenez juste derrière le verre au moment de l'explosion, vous ne perdrez que très peu de points de vie. Les blocs de verre peuvent constituer un système de défense efficace contre des creepers, mais malheureusement éphémère !

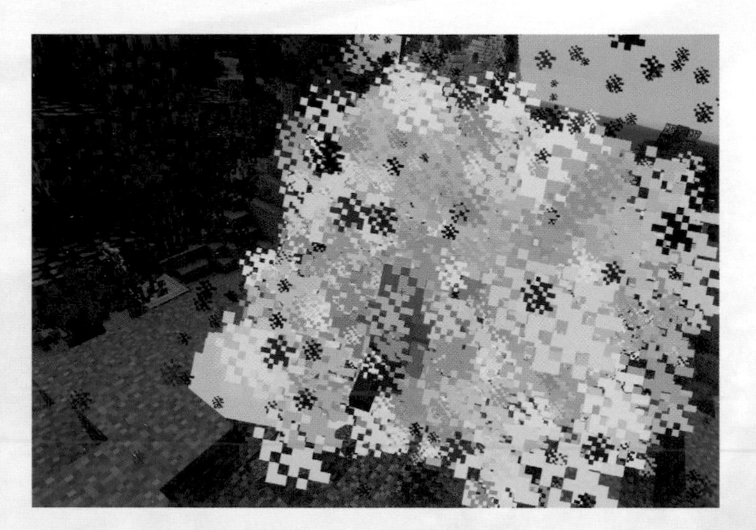

117 Discrétion

Si vous marchez lentement (avancez en appuyant sur la touche Shift) sur un bloc de minerai redstone, ce dernier ne sera pas activé et ne s'allumera pas. La luminosité d'un bloc est de 9 et il reste allumé environ 45 secondes. Vous pouvez activer un bloc de minerai de redstone à l'aide du clic droit.

118 Verrue

La verrue du Nether ne se trouve que dans le Nether (souvent dans les forteresses). Elle est utilisée dans la création de nombreuses potions. Pour la cultiver, il faut récupérer du sable des âmes, car elle ne peut pousser que sur ce type de sable.

119

À l'essai

Vous pouvez créer la boussole ou la montre avec l'établi et consulter l'heure ou la direction sans être obligé de récupérer l'objet. Ainsi, vous n'utilisez pas les matériaux. Une astuce tout de même peu utilisée, la boussole ou la montre n'étant pas des objets particulièrement coûteux.

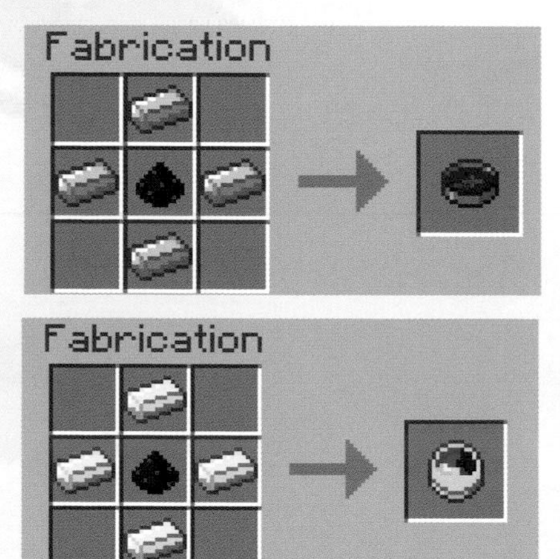

120

Ralentisseur

Le sable des âmes a tendance à ralentir vos déplacements. Si vous placez des blocs de glace sous le sable des âmes, vous serez encore plus ralenti. Une astuce qui peut être utilisée pour ralentir des monstres en mode survie.

FIN

Merci à tous !

Merci à la communauté de Minecraft, jamais en manque d'idées pour expérimenter sans cesse de nouvelles trouvailles et toujours très active. J'espère que ce petit livre vous sera utile et vous en aura appris un peu plus sur l'univers très riche de Minecraft !

En souvenir de Lola Salines, sans qui cette série de livres sur Minecraft n'aurait pas vu le jour.